习近平主席
在出席亚太经合组织第二十六次领导人非正式会议时的讲话

人民出版社

目　　录

同舟共济创造美好未来

——在亚太经合组织工商领导人峰会上的主旨演讲

（2018 年 11 月 17 日）

习　近　平

尊敬的奥尼尔总理，

尊敬的陶里卡主席，

各位工商界朋友，

女士们，先生们：

大家好！很高兴来到景色宜人的莫尔兹比港，同大家相聚在太平洋探索者号上。在当今世界经济风起云涌、风险挑战凸显的形势下，我们同在一条船上，一起谋划发展合作，具有特别的意义。

这次工商峰会的主题“在颠覆性变革时代促进

包容:规划共同未来”,寓意深刻。当今世界正处于大发展大变革大调整时期。经济全球化大潮滚滚向前,但保护主义、单边主义为世界经济增长蒙上了阴影。新科技革命和产业变革蓄势待发,但增长新旧动能转换尚未完成。国际格局深刻演变,但发展失衡未有根本改观。全球治理体系加快变革,但治理滞后仍是突出挑战。

当今世界的变局百年未有,变革会催生新的机遇,但变革过程往往充满着风险挑战,人类又一次站在了十字路口。合作还是对抗?开放还是封闭?互利共赢还是零和博弈?如何回答这些问题,关乎各国利益,关乎人类前途命运。

回顾近代以来的世界历史,我们可以清楚地看到,不同选择曾经给世界带来迥异的历史轨迹。

亚太地区有着亚太经合组织这样的成功故事。亚太经合组织的诞生和发展顺应了开放融合的历史潮流,顺应了亚太地区谋求发展的强烈愿望,顺应了各国人民携手应对挑战的共同需要。亚太的开放合作不仅激荡着太平洋,也活跃了世界经济的海洋。如今的亚太,是全球最具增长活力和发展潜力的经济板块，也是举世公认的世界经济增长的一个重要引擎。

然而，不是所有故事都这么美好，人类也有过惨痛教训。上世纪发生的第二次世界大战，让人类陷入了滔天浩劫。就在离我们不远的地方，曾经爆发第二次世界大战期间惨烈的珊瑚海战役、瓜达尔卡纳尔战役。今天，这片海面已经波澜不惊，但我们不能忘却历史上的风风雨雨。

“明镜所以照形，古事所以知今。”我们回顾历史，是要以史为鉴，不让历史悲剧重演。面对历史大潮，如何才能为世界经济发展把握正确方向？如何才能为国际社会找到有效治理思路？这里，我愿提出以下主张。

第一，坚持开放导向，拓展发展空间。经济全球化是人类社会发展必经之路，多边贸易体制为各国带来了共同机遇。在各国相互依存日益紧密的今天，全球供应链、产业链、价值链紧密联系，各国都是全球合作链条中的一环，日益形成利益共同体、命运共同体。

这是经济规律使然，不以人的意志为转移。我们应该把握时代大势，客观认识世界发展变化，以负责任、合规矩的方式应对新情况新挑战。如果人为设置壁垒，切断各国经济上的密切联系，不仅违背经济规律和历史潮流，也不符合各国人民普遍愿望，既是短视的，也是不会成功的。

一个时代有一个时代的问题。问题本身并不可怕，关键是采取正确的办法来解决问题。走保护主义、单边主义的老路，不仅解决不了问题，还会加剧世界经济的不确定性。历史已经证明，只有坚持开放合作才能获得更多发展机遇和更大发展空间，自我封闭只会失去世界，最终也会失去自己。

亚太经合组织是建设开放型世界经济的先驱。茂物目标将于 2020 年到期，我们应该着眼 2020 年后合作愿景，坚持推进亚太自由贸易区建设。我们应该旗帜鲜明反对保护主义、单边主义，维护以世界贸易组织为核心的多边贸易体制，引导经济全球化朝着更加开放、包容、普惠、平衡、共赢的方向发展，在开放中扩大共同利益，在合作中实现机遇共享。

第二，坚持发展导向，增进人民福祉。我们应该把人民福祉放在首位。世界上所有国家都享有平等的发展权利，任何人都无权也不能阻挡发展中国家人民对美好生活的追求。我们应该致力于加强发展合作，帮助发展中国家摆脱贫困，让所有国家的人民都过上好日子。这才是最大的公平，也是国际社会的道义责任。

我们应该把落实2030年可持续发展议程纳入本国发展战略，促进经济、社会、环境协调发展，根据自身国情推动普惠发展，积极构建平等均衡的全球发展伙伴关系。发达国家应该履行官方发展援助承诺，增加对广大发展中国家的支持。

我们应该加强发展在国际经济政策协调中的地位，在讨论制定贸易和投资、知识产权保护、数字经济等各领域政策和规则时应该有明确的发展视角，为各国营造共同的发展机遇和空间，为世界经济增长提供强劲动力和稳定环境。“特殊与差别待遇”是世界贸易组织的重要基石。这一原则不能否定，否则将动摇多边贸易体制的根基。

第三，坚持包容导向，促进交融互鉴。我们共同居住在同一个星球上，这个星球有200多个国家和地区、2500多个民族、70多亿人口，搞清一色是不可能的。这种差异不应该成为交流的障碍，更不能成为对抗的理由。不同文明、制度、道路的多样性及交流互鉴可以为人类社会进步提供强大动力。我们应该少一点傲慢和偏见、多一些尊重和包容，拥抱世界的丰富多样，努力做到求同存异、取长补短，谋求和谐共处、合作共赢。

一个国家走什么样的道路，只有这个国家的人民最有发言权。一副药方不可能包治百病，一种模式也不可能解决所有国家的问题。生搬硬套或强加于人都会引起水土不服。

第四，坚持创新导向，开辟增长源泉。当前，信息技术、生命科学、智能制造、绿色能源等前沿领域不断突破，新材料、新产品、新业态迭代周期不断缩短。大数据、3D 打印、人工智能，这些曾经的科学幻想，如今已经融入人们的衣食住行用，未来已经来到我们身边。

百舸争流，奋楫者先。新科技革命和产业变革的时代浪潮奔腾而至，如果我们不应变、不求变，将错失发展机遇，甚至错过整个时代。我们应该以只争朝夕的精神，探寻新的增长动力和发展路径，消除一切不利于创新的体制机制障碍，充分激发创新潜能和市场活力，深化国际创新交流合作，更好应对各自和共同的发展挑战。

新科技革命和产业变革是一次全方位变革，将对人类生产模式、生活方式、价值理念产生深刻影响。公平和效率、资本和劳动、技术和就业的关系成为国际社会的共同课题，处理不当将导致南北贫富差距进一步拉大。我们应该审时度势、科学决策，引领新科技革命和产业变革朝着正确方向发展。

服务人民是科技创新的本质要求，各国都有权通过自身努力和国际合作从科技创新中受益。科技创新成果不应该被封锁起来，不应该成为只为少数人牟利的工具。设立知识产权制度的目的是保护和激励创新，而不是制造甚至扩大科技鸿沟。我们应该共同探讨建立面向新科技革命和产业变革的政策制度体系，营造国际合作环境，让科技创新成果为更多国家和人民所及、所享、所用。

第五，坚持规则导向，完善全球治理。两次世界大战的惨痛教训让各国人民痛定思痛，建立了以联合国为主体，包括国际货币基金组织、世界银行、世界贸易组织等机制的全球治理框架。虽然这个框架并不完美，却是人类社会迈出的重要一步，为过去几十年世界和平与发展发挥了重要作用。以规则为基础加强全球治理是实现稳定发展的必要前提。规则应该由国际社会共同制定，而不是谁的胳膊粗、气力大谁就说了算，更不能搞实用主义、双重标准，合则用、不合则弃。

全球经济治理体系要想公平有效，必须跟上时代。我们应该秉持共商共建共享理念，推动全球经济治理体系变革。变革过程应该体现平等、开放、透明、包容精神，提高发展中国家代表性和发言权，遇到分歧应该通过协商解决，不能搞小圈子，不能强加于人。历史告诉我们，如果走上对抗的道路，无论是冷战、热战还是贸易战，都不会有真正的赢家。国与国只要平等相待、互谅互让，就没有通过协商解决不了的问题。

女士们、先生们、朋友们！

1978 年，中国改革开放的伟大征程拉开了序幕。40 年来，中国人民依靠自己的智慧和勤劳的双手，在风雨中砥砺前行，迎来了从站起来、富起来到强起来的历史飞跃，开启了中华民族伟大复兴的光辉历程。

——40 **年来，中国人民勇于探索、真抓实干**，凭着一股开拓创新的拼劲，一股自力更生的韧劲，把中国建成了世界第二大经济体，中国的面貌、中国人民的面貌发生了翻天覆地的变化。中国的今天，是中国人民干出来的！

——40 **年来，中国人民敞开胸怀、拥抱世界**，坚持打开国门搞建设，中国货物进出口总额增长 198 倍，服务贸易进出口总额增长超过 147 倍，累计吸引外资超过 2 万亿美元，中国已经成为世界第一大货物贸易国、最大的旅游市场、130 多个国家的主要贸易伙伴。

——40 **年来，中国人民聚焦发展、造福人民**，坚持以人民为中心的发展思想，从 1978 年到 2017 年，中国人均可支配收入增长 22.8 倍，贫困人口减少了 7.4 亿，就业人员翻了一番，城乡免费义务教育全面实现，世界上覆盖人口最多的社会保障体系基本建立，中国人民的获得感、幸福感、安全感显著提高。

——40 **年来，中国人民立己达人、共谋发展**，始终不渝走和平发展道路，积极参与全球经济治理，积极支持广大发展中国家发展，实施负责任的宏观经济政策，保持对世界经济增长的较高贡献率，为应对亚洲金融危机、国际金融危机作出了自己的贡献，为推动构建人类命运共同体贡献了智慧和力量。

5 年前，我提出共建“一带一路”倡议，目的就是促进各国各地区互联互通，形成联动发展格局，为世界经济拓展新的增长空间。5 年来，共建“一带一路”倡议广受欢迎，中国已经同 140 多个国家和国际组织签署共建“一带一路”合作协议，一大批重大合作项目已经落地生根。

我要强调的是，共建“一带一路”是开放的合作平台，秉持的是共商共建共享的基本原则，没有地缘政治目的，不针对谁也不排除谁，不会关起门来搞小圈子，不是有人说的这样那样的所谓“陷阱”，而是中国同世界共享机遇、共谋发展的阳光大道。中国将于明年 4 月在北京举办第二届“一带一路”国际合作高峰论坛。欢迎亚太工商界朋友积极参与。

回首 40 年改革开放历程，中国人民更加坚定地认识到，只有改革开放才能发展中国。面向未来，中国将以更负责的精神、更开放包容的胸襟、更高质量的增长,在实现自身发展的同时,为世界各国共同繁荣作出更大贡献。

中国将继续大幅放宽市场准入,加强知识产权保护,主动扩大进口。今年以来,中国陆续宣布了一系列新的开放举措,包括创造更具吸引力的投资营商环境,大幅降低1449种日用消费品、1585种工业品等商品进口关税,将汽车整车和零部件税率分别降到13.8%和6%,实现进口抗癌药全部零关税。随着11月1日新一轮降税措施实施,中国关税总水平已经降到7.5%,超出了对世界贸易组织的承诺,也低于大多数发展中国家。中国发布了外商投资准入新的负面清单,在金融、汽车、飞机、船舶等领域进一步开放。根据世界银行的报告,中国营商环境排名比去年提升30多位,成为营商环境改善幅度最大的经济体之一。中国对内外资企业一视同仁、平等对待,欢迎和鼓励各类企业公平竞争,也将充分保障它们的合法权益。

一周前,首届中国国际进口博览会在上海成功举行,吸引了172个国家、地区和国际组织,3600多家企业参展,40多万名境内外采购商到会洽谈采购，成交额达到578亿美元。4500多名各界知名人士出席虹桥国际经贸论坛。中国用行动证明了支持贸易自由化、主动向世界开放市场的决心。欢迎大家明年参加第二届中国国际进口博览会。我相信，中国近14亿人口的大市场必将成为世界经济的增长之源、活力之源！

在座许多企业家都是中国改革开放的见证者、贡献者、受益者，同中国结下了不解之缘。工商界是引领亚太和世界经济增长的重要力量。希望你们发挥企业家精神，勇做经济全球化的弄潮儿，继续为决策者提出明智建议，推动各国采取积极务实政策，广泛开展经济技术合作，为亚太地区乃至世界共同发展繁荣闯出新的天地。

女士们、先生们、朋友们！

亚太经合组织因水结缘。刚才登船时，望着广袤无边的大海，我想到了"同舟共济"这个词。让我们握稳舵盘、把准航向、齐力划桨、乘风破浪，共同驾驶着世界经济的大船驶向更加美好的彼岸！

谢谢大家。

把握时代机遇　共谋亚太繁荣

——在亚太经合组织第二十六次领导人非正式会议上的发言

（2018年11月18日）

习　近　平

尊敬的奥尼尔总理，

各位同事：

很高兴同大家相聚在美丽的莫尔兹比港。亚太经合组织成员领导人首次在太平洋岛国地区聚首，围绕"把握包容性机遇，拥抱数字化未来"的主题，回顾合作历程，共商亚太愿景。我谨对巴布亚新几内亚政府特别是奥尼尔总理为筹备本次会议付出的努力，表示衷心的感谢！

当今世界，发展和变革风起云涌。新科技革命和产业变革深入发展，全球治理体系深刻重塑，国际格局加速演变。同时，全球发展深层次矛盾突出，保护主义、单边主义思潮抬头，多边贸易体制受到冲击，世界经济整体发展环境面临诸多风险和不确定性。

“智者顺时而谋。”站在历史前进的十字路口，我们应该认清世界大势，把握经济脉动，明确未来方向，解答时代命题。

第一，坚持推进区域经济一体化，构建开放型亚太经济。我们应该持续推进贸易和投资自由化便利化。通往亚太自由贸易区的路途不会平坦，但我们要始终朝着这个大方向、大目标迈进。对各类自由贸易安排，我们应该坚持开放、包容、透明原则，促进彼此协调，实现良性互动。我们应坚定维护以规则为基础的多边贸易体制，旗帜鲜明抵制保护主义。世界贸易组织正在探讨新一轮改革，改革的目的应该是让其更好发挥作用，坚持多边贸易体制的核心价值和基本原则，而不是推倒重来。我们应该引导经济全球化朝着更加开放、包容、普惠、平衡、共赢的方向发展。

今年是中国改革开放40周年。中国将坚定不移全面深化改革，加快完善社会主义市场经济体制，建设现代化经济体系。中国将坚持对外开放基本国策，大幅度放宽市场准入，加大保护知识产权力度，创造更具吸引力的投资和营商环境。一周前，首届中国国际进口博览会在上海成功举行，吸引了172个国家、地区和国际组织，3600多家企业参展，40多万名境内外采购商到会洽谈采购，成交额达到578亿美元。4500多名各界知名人士出席虹桥国际经贸论坛。这再次表明，中国支持自由开放贸易、主动向世界开放市场的决心不会有任何动摇。

第二，坚持创新驱动，培育增长新动能。数字经济是亚太乃至全球未来的发展方向。我们应该牢牢把握创新发展时代潮流，全面平衡落实《互联网和数字经济路线图》，释放数字经济增长潜能。同时，我们应该加强数字基础设施和能力建设，增强数字经济可及性，消弭数字鸿沟，让处于不同发展阶段的成员共享数字经济发展成果，让亚太地区人民搭上数字经济发展快车。

中国正在大力建设“数字中国”，在“互联网+”、人工智能等领域收获一批创新成果。分享经济、网络零售、移动支付等新技术新业态新模式不断涌现，深刻改变了中国老百姓生活。中国愿同亚太各方深化数字经济合作，培育更多利益契合点和经济增长点，为亚太经济注入强大新动能。

第三，坚持完善互联互通网络，促进包容联动发展。互联互通是实现包容联动发展的基础。我们应该深入落实互联互通蓝图，让联通的网络覆盖太平洋沿岸的每一个角落。我们应该以 2030 年可持续发展议程为引领，采取更多务实举措，让发展更加均衡、增长更可持续、机会更加平等、社会更加包容。

中国高度重视互联互通建设。经过 5 年努力，共建“一带一路”正进入深入发展新阶段。明年 4 月，中国将主办第二届“一带一路”国际合作高峰论坛。中国将同各国一道，坚持共商共建共享，高质量、高标准、高水平建设“一带一路”，为亚太和世界各国人民创造更大发展机遇。

第四，坚持深化伙伴关系，携手应对共同挑战。亚太经合组织走过近 30 年合作历程，互信、包容、合作、共赢的伙伴关系已经成为我们的共同财富。亚太各国国情千差万别,有分歧并不奇怪。关键是要坚持共谋发展这个公约数,发扬伙伴精神,协商处理分歧,探索解决共同挑战。我们应该立足多样性实际,尊重彼此选择的发展道路,在开放包容的基础上交融互鉴,在良性竞争的同时互利合作,共同构建亚太命运共同体。

中国坚持以人民为中心的发展思想,践行创新、协调、绿色、开放、共享的新发展理念。过去几十年,中国7亿多人口摆脱贫困,将在2020年实现全面脱贫。中国经济对世界经济增长的贡献率一直保持在30%以上。同时正在加快从高速增长转向高质量发展。今年,消费对中国经济增长的贡献达到78%。中国经济长期稳定向好的总体势头会继续保持下去。

各位同事!

作为亚太地区领导人,我们有责任登高望远,规划好亚太经合组织2020年后的合作愿景。我们应该顺应经济全球化发展大势,不为一时的困难所阻挡,继续秉持推动区域经济一体化宗旨,把握构建开放型世界经济大方向,努力保持亚太合作势头,稳步迈向更高水平。

中国是亚太合作的积极倡导者和坚定践行者。中国的发展离不开同亚太各方的紧密合作,也为亚太发展拓展了广阔空间。中国将深入参与亚太合作进程,加大投入,同各方深化务实合作,为亚太地区发展繁荣作出新贡献!

谢谢大家。

图书在版编目(CIP)数据

习近平主席在出席亚太经合组织第二十六次领导人非正式会议时的讲话. —北京:人民出版社,2018. 11

ISBN 978 - 7 - 01 - 020150 - 4

Ⅰ. ①习… Ⅱ. Ⅲ. ①习近平-讲话-学习参考资料②世界经济-学习参考资料 Ⅳ. ①D2 - 0②F11

中国版本图书馆 CIP 数据核字(2018)第 268187 号

(RMC - ZJDXI - 069 - 20181117)

习近平主席在出席亚太经合组织
第二十六次领导人非正式会议时的讲话

XIJINPING ZHUXI ZAI CHUXI YATAI JINGHEZUZHI
DI'ERSHILIUCI LINGDAOREN FEIZHENGSHI HUIYI SHI DE JIANGHUA

人民出版社 出版发行
(100706 北京市东城区隆福寺街 99 号)

北京新华印刷有限公司印刷 新华书店经销

2018 年 11 月第 1 版 2018 年 11 月北京第 1 次印刷
开本:880 毫米×1230 毫米 1/32 印张:0. 75
字数:11 千字

ISBN 978 - 7 - 01 - 020150 - 4 定价:2. 50 元

邮购地址 100706 北京市东城区隆福寺街 99 号
人民东方图书销售中心 电话 (010)65250042 65289539